Baśnie carskiej Rosji

LIWONA®

Baśnie carskiej Rosji

Ilustracje:
Artur Rajch

Adaptacja tekstów:
**Elżbieta Śnieżkowska-Bielak
Rafał Wejner***

LIWONA®

Druk, skład i łamanie: Liwona Sp. z o.o.

Wydawnictwo LIWONA Sp z o.o.
ul. Rakuszanki 5, 02-496 Warszawa
tel. 022 867 88 66; tel./fax 022 867 64 64
e-mail: liwona@liwona.pl
www.liwona.pl

LIWONA®

Spis treści

Jezioro złotych ryb

W pewnej małej wiosce, położonej malowniczo na brzegu jeziora żył sobie pewien młody i bardzo leniwy młodzieniec, którego wszyscy nazywali Igor. Nie lubił on pracować. Uważał każdą pracę za męczące i bezsensowne zajęcie.
- Tylko niemądrzy ludzie pracują - mówił - ja wolę żyć beztrosko.
Istotnie, jego życie było bardzo beztroskie, ale nie miało też żadnego celu.

Wiosną i latem biegał po łąkach, gonił motyle, zbierał kwiaty, wykradał pszczołom miód z uli. Były to dla niego dobre dni. Żywił się malinami, jagodami i leśnym miodem. Czasami znalazł na polu marchewkę, albo buraka i zjadał je ze smakiem. Jesienią żywił się gruszkami rosnącymi na przydrożnej gruszy, albo jabłkami z jabłonki, która rosła na miedzy.

Jednakże, gdy przychodziła zima Igorowi powodziło się znacznie gorzej.

Dni były krótkie, noce mroźne. Biedny młodzian kołatał wtedy do ludzkich chat, prosząc o nocleg, miskę ciepłej strawy i stary kaftan na grzbiet.

Pewnego zimowego wieczoru zmarznięty Igor zapukał do chaty starego Iwana.

- Poczciwy Iwanie - prosił - pozwól mi przenocować, choćby w swojej stajni. Masz tam miękkie sianko, a zwierzęta ogrzeją mnie swoim oddechem.

- Dobrze Igorze - zgodził się Iwan. - Idź spać do mojej stajni. Przecież nie wyrzucę cię za próg.

Igor rozłożył się na miękkim, pachnącym sianie, przykrył się derką, którą gospodarz okrywał konie w mroźne dni i usnął.

W nocy śniło mu się wielkie jezioro, pełne złotych ryb. Cały dzień nie myślał o niczym innym, tylko o tych rybach. Następnej nocy znów spał na sianie w stajni Iwana i sen znów się powtórzył. Tak było przez kilka następnych nocy.

Gdy nadeszła wiosna, Igor postanowił poszukać jeziora ze swojego snu.

W tym celu zrobił sobie wędkę i łowił ryby w różnych stawach i jeziorach, sprawdzając, czy nie są one złote. Ale nie były.

Pewnego dnia, gdy siedział o zachodzie słońca z wędką nad brzegiem pobliskiego jeziora, wędka szarpnęła nagle.

"Oho!" - pomyślał Igor - "trafiła mi się jakaś wielka ryba."

Podniósł wędkę do góry i wyciągnął dorodną rybę, której łuska lśniła złoto w promieniach zachodzącego słońca.

- Jest! - zawołał uradowany. - Złowiłem złotą rybę! Znalazłem jezioro złotych ryb!

Od tej pory łowił w tym jeziorze ryby, które chociaż nie były całkiem złote, to jednak pozwalały mu żyć dostatnio.

Ludzie dawali mu w zamian chleb, kaszę, ser, mleko, ziemniaki i ubranie. Byli bowiem bardzo zadowoleni z połowów Igora. Za otrzymane od niego ryby dostawali na targu dużo pieniędzy. Wszyscy byli więc zadowoleni i żyło im się dostatnio.

Igor także był zadowolony. Miał gdzie spać, miał co jeść i miał swoje marzenie, które pomagało mu żyć.

Pewnego dnia wieść o zdolnym rybaku doszła do cara, który także nie lubił pracy i był bardzo leniwy.

Posłał on swojego dworzanina do wsi, w której mieszkał Igor.

- Witam cię Igorze! - powiedział posłaniec cara. - Jego wysokość, najjaśniejszy car Rusi chce cię mieć na swoim dworze. Będziesz tam opływał w dostatki i niczego nie będzie ci brakować.

- Wybacz przyjacielu - odpowiedział mu Igor - jeszcze pół roku temu przyjąłbym twoją propozycję z radością, ale dzisiaj nie mogę opuścić mojego jeziora, ani moich przyjaciół.

Posłaniec cara był bardzo zdziwiony tym, że prosty człowiek odmawia wielkiemu władcy. Wrócił na carski dwór i oznajmił to monarsze.

A Igor? On ciągle żył swoimi marzeniami, że w końcu znajdzie jezioro pełne prawdziwie złotych ryb. Na razie łowił nad jeziorem w pobliżu jego rodzinnej wsi i miał się bardzo dobrze.

Ludzie, którzy znali Igora, nazwali to jezioro "Jeziorem złotych ryb" i nazwa ta pozostała do dzisiaj.

Podarunki mędrca z gór

Dawno, bardzo dawno temu w dalekiej górzystej krainie było piękne, szczęśliwe i bogate królestwo. Mieszkańcy tej krainy byli dobrymi, spokojnymi ludźmi. Mieli jednakże wielu wrogów, którzy czyhali na ich bogactwa. Dlatego też wzdłuż długiej przełęczy górskiej rozstawione były straże, których pilnował dzielny dowódca Olaf. Był to szlachetny człowiek o mężnym sercu. Król Anastazy kochał go jak syna i dlatego postanowił ożenić go ze swoją córką Leną, która nie była zbyt piękna, ale za to bardzo przebiegła.

Olaf zgodził się na ślub z Leną, gdyż szanował swojego władcę. Miał też nadzieję, że odziedziczy po nim tron.

Wszystkie panny, mieszkające w królestwie kochały się potajemnie w Olafie i zazdrościły królewnie pięknego i silnego męża. Lena tymczasem wcale nie kochała dzielnego młodzieńca.

Od dawna darzyła uczuciem chudego dworzanina Jerzego, którego ojciec nie pozwolił jej poślubić. Pewnej nocy, gdy Olaf smacznie spał, Lena usłyszała, jak mąż mówi coś przez sen. Dowiedziała się, że wielką siłę Olaf czerpie z czarodziejskiego kaftana, który dostał od Mędrca z Gór. Mąż mówił coś jeszcze, ale nie było to wyraźne i Lena nie zrozumiała słów wypowiadanych przez męża w czasie snu.

"O, mam cię!" - pomyślała księżniczka. - "bez kaftana będziesz słaby i nic nie będziesz mógł zdziałać."

Zakradła się na palcach do szafy Olafa i zabrała mu zaczarowany kaftan. Natychmiast też zaniosła go swojemu ukochanemu. Następnie poszła do ojca i powiedziała mu, że Olaf chce go zabić.

Władca wpadł we wściekłość i kazał wtrącić zięcia do głębokiego,
ciemnego lochu.

Biedny Olaf siedział smutny i zrozpaczony w swoim więzieniu.
Zrozumiał, że grozi mu śmierć.

Kiedy tak dumał nad swoim losem, jego wzrok padł na złoty
pierścień, który nosił na palcu. Przypomniał sobie, że jest to drugi
dar od Mędrca z Gór, któremu kiedyś uratował życie.

- Jeżeli kiedyś będziesz w wielkim niebezpieczeństwie - powiedział do niego Mędrzec - przekręć ten pierścień trzy razy na palcu. Możesz to jednak uczynić tylko jeden raz.
Olaf nie wiele myśląc, okręcił pierścień trzykrotnie na swoim palcu i.... zamienił się w pięknego, białego gołębia, który bez trudu wyfrunął z lochu.

Gdy tak leciał zobaczył stojącą na zielonej łące piękną dziewczynę.

Usiadł jej na ramieniu, a ona pogłaskała jego białe piórka.

- Piękna panienko - przemówił do niej ludzkim głosem - pocałuj mnie w dzióbek, a zdejmiesz ze mnie czar i znów stanę się człowiekiem.

Panna o wdzięcznym imieniu Tamara pocałowała gołąbka w dziobek i w tej samej chwili stanął przed nią przystojny Olaf.

- Och Olafie! - zawołała Tamara - zawsze chciałam cię osobiście poznać, ale nie było to możliwe, gdyż ty byłeś najpierw dowódcą królewskiej straży, a potem królewskim zięciem, a ja jestem zwykłą, skromną dziewczyną.

Olaf opowiedział Tamarze swoją smutną historię.

- Pomogę ci odzyskać czarodziejski kaftan - powiedziała Tamara. Pewnego dnia widząc, ze zła księżniczka Lena wraz ze swoim ukochanym Jerzym szła nad wielkie jezioro, żeby się wykąpać, zaczaiła się w szuwarach. Gdy rozbawiona para weszła do wody i zaczęła pływać, Tamara zabrała leżący na plaży czarodziejski kaftan i prędko przyniosła go Olafowi.

Olaf od razu odzyskał swoją dawną siłę. Wtedy poszedł do swojej żony i powiedział:

- Nie chcę cię już więcej, ani nie chcę dziedziczyć tronu po twoim ojcu. Jestem wolnym człowiekiem i mam kochającą mnie dziewczynę.

Olaf i Tamara opuścili bogate królestwo i osiedlili się nad piękną, szeroką rzeką, gdzie mieszkali bardzo poczciwi, skromni ludzie.

Olaf służył im swoją siłą, odwagą i rozumem, a Tamara prowadziła mu gospodarstwo i obdarowywała wielką miłością. Lena, zobaczywszy, że Jerzy nie ma już takiej siły, jaką dawał czarodziejski kaftan, zostawiła go. Stała się smutna, brzydka i zrzędliwa. A po śmierci starego króla Anastazego nie miał kto objąć tronu. Świetność tego królestwa skończyła się na zawsze.

O myśliwym Aleksym

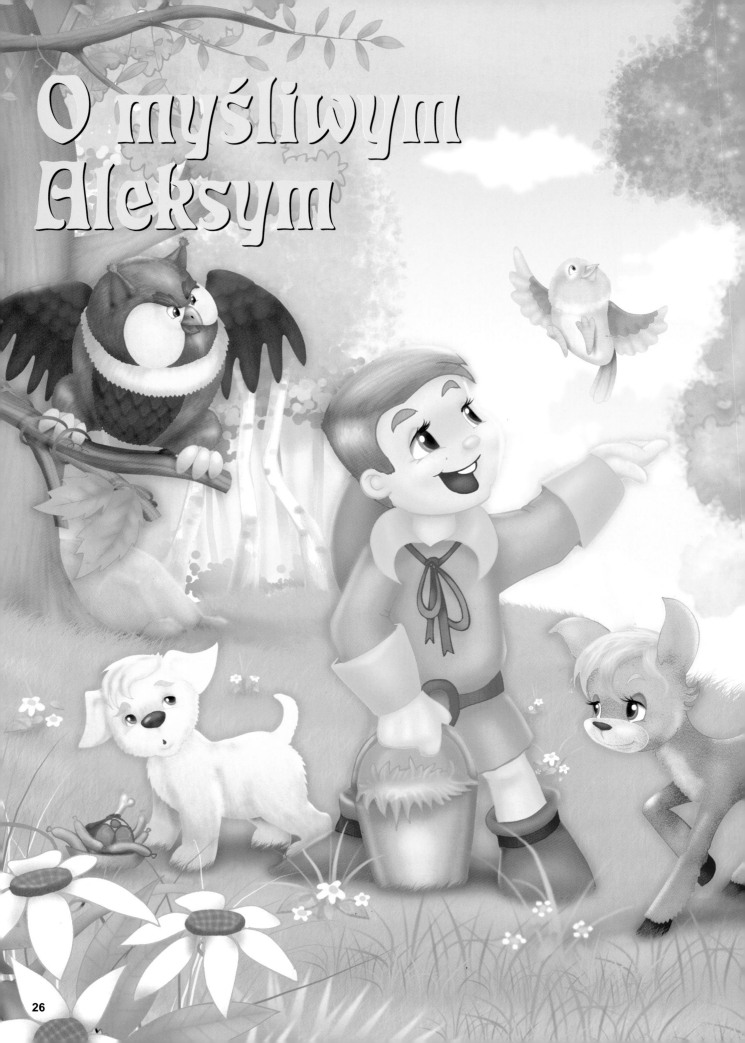

Bardzo dawno temu, w samym środku wielkiego lasu, żył młody myśliwy Aleksy z piękną rudowłosą żoną Nataszą. Wszyscy ich lubili, bo byli ludźmi zgodnymi i mieli dobre serca. Nawet zwierzęta przychodziły do nich i jadły im z rąk.

Pewnego dnia, gdy Aleksego nie było w domu, obok jego chatki przejeżdżał car, który był bardzo bogaty, ale smutny, gdyż jeszcze nie miał żony.

Natasza akurat siedziała na progu chaty i wyszywała koszulę dla męża, pięknie przy tym śpiewając.

- Kim jesteś o piękna? - zapytał car, zatrzymując się przy furtce.

- Jestem Natasza, żona myśliwego Aleksego.

- Jesteś tak piękna, że twój mąż musi być bardzo szczęśliwy - powiedział car i pojechał.

Gdy przybył na swój dwór nie mógł myśleć o nikim innym, niż tylko o Nataszy.

- Co tu zrobić, żeby ta kobieta była moja? - zapytał szambelana.

- To proste panie - odparł tamten. - Musisz pozbyć się jej męża.

- Ba, ale jak to zrobić? - znów zapytał car.

- Daj mu panie takie zadanie, którego nie będzie mógł wykonać.

- Dobra myśl - powiedział władca i kazał wezwać przed swoje obli-cze Aleksego.

Gdy młody człowiek przybył, car polecił mu:
- Idź nie wiem gdzie i przynieś nie wiem co!
Aleksy zmartwił się bardzo, bo nie umiał wypełnić polecenia cara. Zwierzył się z tego żonie.
- Nie martw się poproszę o pomoc moją chrzestną matkę Malidusę, która dała mi czarodziejską perłę. Muszę teraz trzykrotnie zawołać ją po imieniu, a czar zacznie działać. - I kobieta trzykrotnie zawołała:
- Maliduso! Maliduso! Maliduso!

Wtedy pod nogi Aleksego upadła piękna perła, która zaraz zamieniła się w kryształową kulę.

- Idź za nią mój drogi mężu - poleciła Natasza. I myśliwy poszedł. Szedł dolinami i górami, a kula przez cały czas toczyła się przed jego nogami.

Wtem na pięknej polanie kula wpadła w wielką rozpadlinę. Aleksy nie wiedział co robić, lecz pomyślał o swojej pięknej żonie i wszedł w wielki podziemny korytarz. Gdy tam wszedł, porwał go wielki wiatr. Myśliwy nie wiedział co się z nim dzieje.

Nagle wszystko ucichło i mężczyzna znalazł się przed wspaniałym pałacem. Zobaczył przed nim piękną kobietę.
- Jestem Malidusa, chrzestna matka twojej żony - powiedziała. Wiem jakie masz zmartwienie, ale nie trap się. We wszystkim ci pomogę. Masz tu czarodziejskie zwierciadło i zaklęty róg. Gdy wrócisz do domu, ustaw zwierciadło tak, by promienie zachodzącego słońca na nie padały. Wtedy wyda ci się, że twoja chatka będzie wspaniałym pałacem. Tak będzie tylko przez chwilę, zaraz po tym będziesz widział tylko swoją chatę. Natomiast każdy obcy, który będzie na nią patrzył, zobaczy pałac. Ludzie będą wam tego pałacu zazdrościć, ale nie martw się. W razie niebezpieczeństwa, zadmij w ten zaklęty róg. Wasi wrogowie pomyślą, że mają do czynienia z potężną armią i uciekną.

- Dziękuję ci Maliduso - powiedział Aleksy, kłaniając się nisko i poszedł do domu.

O zachodzie słońca, ustawił lustro tak, jak mu poleciła matka chrzestna żony i zamiast swojej chaty zobaczył pałac ze złota. Później jednak to wrażenie znikło i znów widział swoją skromną chatkę.

Od tej chwili Natasza i Aleksy czuli się bezpieczni i szczęśliwi.

Tymczasem car długo czekał na Aleksego, a że ten nie przybywał do niego, pomyślał, że myśliwy przepadł bez wieści i wybrał się po Nataszę. Gdy się zbliżył, nie zobaczył skromnego domku, tylko wspaniały pałac ze złota.

Car zdziwił się i pomyślał, że w jego włościach zamieszkał jakiś niebezpieczny, bogaty człowiek. Postanowił go wypędzić z kraju. Zebrał ogromne wojska i wyruszył do lasu.

Gdy wojska cara zbliżały się do chaty, Natasza usłyszała tupot tysięcy nóg i bardzo się przelękła.

Wtedy Aleksy zadął w zaklęty róg. Dźwięk był tak mocny, że wojska carskie, myśląc, że w lesie znajduje się ogromna armia, rozpierzchły się ze strachu.

Car przeraził się bardzo i nigdy już nie zaglądał w te strony. Natasza i Aleksy żyli odtąd długo i bardzo szczęśliwie.

Bazylia o twarzy anioła

Daleko, daleko za wielkim, zielonym lasem, w wiosce o nazwie Jedlina mieszkał drwal Mikołaj ze swoją żoną Heleną i córką Bazylią, która była bardzo piękna i dobra.

Jednakże na rodzinę drwala spadło nieszczęście. Jego żona, Helena zachorowała i wkrótce umarła. Mikołaj został sam z córeczką.

Żył tak samotnie kilka lat, ale gospodarstwo jego szło w ruinę, wymagało kobiecej ręki, więc Mikołaj postanowił się ożenić.

Kobiety ze wsi namówiły go, żeby wziął za żonę Patruchę, która mieszkała w nędznej chacie i była bardzo biedna. Kobieta ta miała złą i brzydką córkę, którą we wsi wołali Naga.

Mikołaj posłuchał rady wiejskich kobiet i ożenił się z Patruchą. Ta, wprowadziwszy się do domu drwala od razu znienawidziła jego córkę Bazylię.

Chcąc pozbyć się pasierbicy i zniechęcić do niej ojca, ukradła część odłożonych przez drwala pieniędzy i ukryła je pod poduszką Bazylii. Na próżno dziewczynka płakała i przysięgała, że nie wzięła tych pieniędzy. Ojciec, wierząc żonie, postanowił oddalić córkę z domu.

Zaprowadził ją do pewnej czarownicy, która mieszkała w lesie.
Czarownica przyjęła dziewczynkę na służbę.

Pewnego ranka zarzuciła na siebie wielką kraciastą chustkę i powiedziała do dziewczynki:

- Moja miła, ja teraz wychodzę i wrócę po południu. Ugotuj jakiś obiad i posprzątaj mieszkanie.

Bazylia bardzo się zmartwiła, ponieważ w mieszkaniu wiedźmy był straszny bałagan. Dziewczynka usiadła i gorzko zapłakała.

- Ach, co ja biedna teraz zrobię - szlochała. - Nie mam sił na taką pracę, a wiedźma, po powrocie na pewno wsadzi mnie do piwnicy.

Wtem usłyszała jakiś cieniutki, piskliwy głosik.

- Jestem taka głodna, od wczoraj nic nie miałam w pyszczku, czy możesz dać mi kawałeczek sera?

Bazylia obejrzała się i zobaczyła siedzącą na stole szarą myszkę.

- Ojej - zawołała - mysz, która mówi! Bardzo dziwne! Ale skoro prosisz, to dam ci serka - i podała myszce spory kawał sera.

- Bardzo ci dziękuję - powiedziała mysz - czy mogę ci się jakoś odwdzięczyć?

- Potrzebuję pomocy. Muszę uprzątnąć ten bałagan i ugotować obiad.

- Nic się nie martw - powiedziała myszka - pomogę ci i zagwizdała głośno.

W tej samej chwili pokój zapełnił się szarymi myszkami, które prędko posprzątały mieszkanie, napaliły w piecu i ugotowały pyszny kapuśniak.

- Dziękuję wam myszki! - zawołała wesoło Bazylia.

- Nie, to ja ci dziękuję - odpowiedziała szara mysz. - Jestem królową myszy. To mnie dałaś ten ser, kiedy byłam głodna.

I od tej pory myszki każdego dnia pomagały dziewczynce. Czarownica nie mogła wyjść z podziwu nad pracowitością Bazylii.

Pewnego dnia drwal Mikołaj zatęsknił za swoją córką i postanowił ją odwiedzić.

Gdy przyszedł do domu czarownicy, ta nakrzyczała na niego.

- Ty głupcze! - wołała - Bazylia to najporządniejsza i najbardziej pracowita dziewczyna, jaką znam! Zabieraj ją do domu. A w nagrodę za jej pracę weź wyprawę. - I podała zdziwionemu Mikołajowi kuferek pełen złotych monet.

Mikołaj wrócił z córką do domu i opowiedział wszystko żonie.
- To niesprawiedliwe! - krzyczała Patrucha. - Mojej córce też się
należy taka wyprawa! Zaprowadź ją jutro do domu czarownicy!
Następnego dnia, skoro świt poszedł Mikołaj z leniwą Nagą do
czarownicy.

- Zostaw ją - powiedziała wiedźma - już ja się nią zaopiekuję.
Gdy Mikołaj poszedł, ubrała się, i jak poprzednio, poprosiła
dziewczynę o obiad i sprzątnięcie mieszkania i wyszła.
Jednak leniwa Naga ani myślała sprzątać, siadła zła i nadęta
i przesiedziała tak kilka godzin.
Nagle usłyszała piskliwy głosik myszy, która poprosiła ją o ka-
wałek sera.

Naga przegoniła myszkę miotłą i usiadła znowu na stołku.

Wieczorem wróciła wiedźma i zobaczyła, że Naga niczego nie zrobiła. Nie dała jej więc kolacji i posłała spać, do stodoły.

Tak było przez kilkanaście dni.

Pewnego dnia matka Nagi chciała zobaczyć kiedy to córka z wyprawą wróci od czarownicy do domu. Wybrała się więc, żeby ją odwiedzić.

Gdy przyszła, czarownica wrzasnęła:

- To ty jesteś matką tego leniucha? Zabieraj mi ją natychmiast!

- A wyprawa? - upomniała się Patrucha.

- Już ja ci dam wyprawę! - krzyczała czarownica i waliła miotłą po głowach matki i córki, które uciekły w popłochu i wszelki ślad po nich zaginął. Drwal Mikołaj i jego śliczna córka Bazylia żyli jeszcze długo i szczęśliwie. Nic nie zakłócało ich spokoju.

Konik Garbusek

Dawno, dawno temu, za siedmioma górami i za siedmioma lasami żył sobie pewien wieśniak Aleksy, który miał trzech synów: Daniłę, Gawryłę i Iwana. Byli oni biednymi ludźmi, więc zmartwili się bardzo, kiedy spostrzegli, że ktoś zniszczył im cały łan żyta.
- Nie ma co - powiedział Aleksy - trzeba złapać sprawcę. Każdej nocy będziemy czuwać, aż wreszcie dowiemy się kto zniszczył nasze zboże.

Jak powiedział, tak uczynili. Pierwszy poszedł czuwać Daniło. Wyszedł na pole i zobaczył, że jest ciemno, nawet księżyc schował się za chmury. Poczuł się bardzo niepewnie.
"Lepiej ukryję się w tym stogu siana" - pomyślał.- "Jeszcze mnie ktoś w tych ciemnościach napadnie."
I Daniło przespał smacznie noc w pachnącym sianku. Potem oblał się wodą ze studni i poszedł do domu.
Kiedy wrócił do domu pyta go ojciec, pytają bracia :
- Jak tam było? Opowiadaj!

- A no - powiada najstarszy syn Aleksego - ulewa mnie złapała. Deszcz siekł niemiłosiernie, a burza była taka, że nie mogłem niczego zobaczyć.
- Zuch jesteś Daniło - rzecze ojciec - w taką ulewę i burzę w polu siedziałeś i niczego się nie bałeś. Dumny jestem z ciebie. Teraz pójdzie czuwać Gawryło.

I następnej nocy poszedł na pole Gawryło. I ta noc nie należała do przyjemnych. Księżyc się schował za chmury, wiatr się zerwał, kłosami żyta kołysał. Dziwnie się poczuł średni syn Aleksego.

- Nie zostanę tutaj ani jednej chwili - powiedział do siebie - idę do wsi, tam gdzieś się schowam. A co powiem ojcu? Coś wymyślę!

I pobiegł do wsi co tchu. Schował się pod ojcowskim płotem i przesiedział tam do rana.

Rankiem wraca, do drzwi stuka i woła od progu:

- Wpuśćcie mnie kochani braciszkowie i ty tatusiu. Taki mróz był tej nocy, że o mały włos, a zamarzłbym na kość.

- Biedny mój Gawryło - lituje się ojciec. - Jak to się musiał namarznąć i namęczyć przez tę noc! Odpocznij sobie syneczku. Na trzecią noc pójdzie czuwać Iwan.

Iwan, chociaż nie był chętny doczekał do wieczora, wziął pajdę chleba, założył buty i poszedł. Szedł sobie polną ścieżką, podśpiewywał, aż wreszcie pod drzewem usiadł, kromkę chleba zaczął wcinać. Rozglądał się przy tym dookoła ciekawie, czy czegoś dziwnego przy okazji nie dojrzy.

Siedział tak już ze dwie godziny, gdy nagle usłyszał rżenie konia. Wania wstał i zobaczył prześliczną, śnieżnobiałą klacz ze złotą grzywą. Wtedy chłopiec podkradł się do konia przez pole pszenicy i znienacka chwycił go za ogon. Klacz zarżała, wierzgnęła i stanęła dęba. Młody Iwan wsiadł jej na grzbiet i złapał ją za grzywę. Nic nie pomogły jej skoki, podskoki i susy, zawrotny galop. Wania trzymał się konia mocno. Wreszcie klacz zatrzymała się i przemówiła do Iwana ludzkim głosem:

- Ach mój miły Wania jesteś bardzo silny, nie zwyciężę z tobą w walce. Pokonałeś mnie. Teraz mnie starannie ukryj, ale troskliwie się mną opiekuj. Każdego dnia, o porannej zorzy masz mnie puszczać na zieloną trawkę, żebym mogła się najeść do syta. Za to ja po trzech dniach dam ci jeszcze dwa przepiękne konie i małego, ale bardzo niezwykłego konika Garbuska. Dwa dorodne konie możesz sprzedać, ale Garbuska zostaw sobie. Będzie on twoim przyjacielem i nie opuści cię w potrzebie.

- Zgoda - mówi Wania - będę się tobą opiekował, ale musisz zamieszkać w moim szałasie, żeby cię źli ludzie nie zobaczyli.

I zaprowadził piękną klacz do szałasu, po czym wrócił do ojcowskiego domu i do drzwi zapukał.

Bracia z ojcem dopadli do niego i pytają:
- Byłeś na polu? Widziałeś coś? Opowiadaj!
- Byłem, byłem i straszne dziwy widziałem.
- Co takiego? Mów u licha!
- Diabła widziałem, co po polu krążył. Miał
wielkie zęby, straszne kopyta
i czerwony jęzor. Złapałem go za
kapotę i tak mocno nim potrząsałem,
że mnie prosił o litość i obiecał, że
więcej naszego zboża nie ruszy.
- Niemożliwe! - wrzasnęli bracia. -
Jak zwykle kłamiesz, aż ci się
ze łba kurzy.

- Nie kłamię, daję słowo!
- Idź lepiej spać na piec, bo nic nam po tobie i twoich głupich
opowieściach.

Minęło sporo czasu, wszyscy już zapomnieli o opowieści Wani
i życie we wsi i w ich rodzinnej zagrodzie płynęło spokojnie po
dawnemu.

Pewnego razu najstarszy brat Daniło spacerował po lesie i zobaczył jakiś dziwny, drewniany szałas. Zajrzał tam i spostrzegł dwa prześliczne konie ze złotymi grzywami oraz malutkiego konika z dwoma garbami na grzbiecie.
- Aha - powiedział do siebie Daniło - to z pewnością jest sprawka Wani. Ostatnio często się z domu wykradał i do lasu biegał. On coś przed nami ukrywa!
Poszedł więc do domu i opowiedział wszystko Gawryle.
- Nie uwierzę, póki nie zobaczę - powiedział średni brat.

- No to chodź, zaprowadzę cię tam - zawołał Gawryło. Pobiegli przez las co tchu w piersiach, patrzą i nadziwić się nie mogą. Konie piękne, białe, grzywy złociste, pozaplatane w warkocze, kopyta perłami wysadzane. Istne cuda! A obok niepozorny konik z dwoma garbami.

- Wiesz braciszku - odezwał się Danilo - te dwa piękne rumaki będziemy musieli sprzedać na jarmarku, a tego Garbuska zostawimy Wani. Nic nam po nim.

- Masz rację. W przyszłym tygodniu pojedziemy na największy jarmark w stolicy i sprzedamy te dwa piękne konie książętom. Zarobimy dużo pieniędzy.

Jak zapowiedzieli, tak też zrobili - cichaczem zabrali konie i pojechali do stolicy.

Tymczasem Wania nie wiedział o niczym. Przyszedł pewnego razu do szałasu i zobaczył, że dorodnych koni nie ma, a w kącie stoi samotny Garbusek i nóżką w piachu grzebie, jakby chciał mu coś powiedzieć. I nagle odezwał się do Wani ludzkim głosem:

- Nic się nie martw mój drogi, wiem kto ukradł ci te dwa piękne koniki. Wsiadaj szybko na mój grzbiet, odnajdziemy i złodziei i wierzchowce.

Wsiadł więc chłopiec na konika, a ten popędził co tchu w piersiach i co siły w nogach. W mig znaleźli się w stolicy i odszukali złych braci Iwana.

- A nie wstyd to wam braciszkowie kraść? - zawołał Wania z wyrzutem.

- Oj, bracie wybacz nam - krzyknął Daniło. - Wiesz przecież jaka ciężka jest nasza dola. Pracujemy za trzech, a w domu bieda i ojczulek już coraz starszy. Pomyśleliśmy sobie z Gawryłą, że jak te koniki sprzedamy, to w domu będzie lżej.

- Zgoda - powiedział Iwan - sprzedamy te konie, ale ja pójdę z wami i chcę być obecny przy sprzedaży.

- Dobrze - rzekł Gawryło. - Dzisiaj wieczór już się zbliża, ale jutro pójdziemy na jarmark. Na razie puśćmy koniki na popas, a sami odpocznijmy sobie na mięciutkim mchu.

Tak więc trzej bracia weszli do lasu, posilili się suchym chlebem i położyli na mchu, żeby przespać się do rana.
Nagle spostrzegli przez zarośla jakiś ogromny żar.
"To z pewnością zbójcy ognisko rozpalili" - pomyślał Daniło i szepnął to średniemu bratu Gawryle.
- Jak poślemy tam Wanię - myśleli źli bracia - zbójcy go złapią i zabiją, a my podzielimy się pieniędzmi za konie. Toteż Gawryło odezwał się do Wani tymi słowami:
- Idź braciszku, przynieś nam jakąś rozżarzoną głownię, żebyśmy tu i my mogli ognisko rozniecić. Ciemno tak, straszno, sowy pohukują, wilki się czają. Idź, jeśli możesz.

Poszedł Wania przez gęste krzaki i wysokie paprocie. Drzewa go gałęziami po buzi uderzały, puszczyk złowrogo krzyczał. Ale dzielny chłopiec szedł w kierunku wielkiej jasności, a z nim szedł jego wierny konik Garbusek.
Idą, idą, wchodzą na polanę i widzą, że ona cała świeci, a ognia nie ma.
- Co to za dziwo? - zapytał Wania.

- Już ci wyjaśnię - odpowiada konik Garbusek. Spójrz, tutaj leży pióro żar-ptaka. Jest ono cudne i świeci zwodniczo, ale go nie zabieraj, bo przysporzy ci nieszczęść.
- Co też opowiadasz? - wykrzyknął Wania. Co może się stać, jeśli wezmę takie zaczarowane piórko? - i schował piórko pod czapkę.

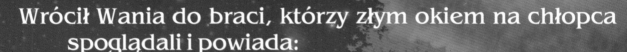

Wrócił Wania do braci, którzy złym okiem na chłopca spoglądali i powiada:

- Braciszkowie moi mili, biegłem, biegłem przez krzaki, osty i paprocie, ale gdy przybyłem na polanę już ogień zgasł. Jeszcze się tlił rozrzażony pniak, ale ognia nie było.

Bracia popatrzyli z niedowierzaniem i poradzili bratu, żeby kładł się spać. Nazajutrz z samego rana pojechali na jarmark.

Kiedy bracia pojawili się z końmi, otoczyła ich wielka gromada ludzi. Wszyscy podziwiali zgrabne sylwetki koni, ich lśniące, złote grzywy, wszyscy cmokali i podziwiali kopytka perłami wysadzane.

- Takie konie są warte nie byle kogo! - cmokali ludziska. - Sam starosta by się ich nie powstydził.

- Tak, tak, piękne koniki, nie ma co! - Mówili inni.

Gdy tak sobie gwarzyli i zachwycali się przecudnymi konikami nadjechał sam pan starosta. Wysiadł z karety, na koniki popatrzył, naokoło je obszedł i powiedział:

- To mi dopiero gratka! Takie piękne koniki! Nie jestem godzien takich posiadać. Wezmę ze sobą straż przyboczną i pojadę do carskiego pałacu. Te konie powinien zobaczyć sam car.

Jak powiedział, tak też zrobił. Pojechał do carskiego pałacu, do nóg władcy upadł i powiada:
- Najjaśniejszy panie, takie wielkie dziwy na jarmarku widziałem. Konie lśniąco białe, ze złotymi grzywami, kopytkami w perłach. Tylko ciebie są godne takie wierzchowce.
- To mi nowina! - ucieszył się car. - Zaprzęgać do karocy! Już na jarmark jadę i te cudeńka zobaczę sam!

Przybył car na jarmak, koniki podziwia, ogląda, poklepuje, wreszcie pyta o właściciela.

- To ja - mówi Wiana wychodząc na środek placu.

- Ile byś chciał za nie dostać?

- Najjaśniejszy panie, niewiele, tylko dziesięć czapek srebra.

- Dziesięć czapek? - zastanawia się car. - No dobrze, zgoda. Wypłacić chłopcu tyle ile chce!

Wziął Wania pieniądze i z konikami do dworskich stajen rusza. Wtem konie się zerwały, dęba stanęły, wędzidła pozrywały i na jarmark wracać chcą.

- Łap te konie Iwanie, a jak złapiesz na mój carski dwór przyprowadź. Zostaniesz moim nadwornym koniuszym. W złotych strojach będziesz chodził, same frykasy zajadał i dobrze ci się będzie działo.

Wania srebro całe braciom oddał, koniki w mig złapał i na dwór przyprowadził. Car zaś słowa dotrzymał i Iwana nadwornym koniuszym uczynił.

I tak mały, biedny Wania podjął służbę na dworze cara. Żyło mu się bardzo dobrze, ale jak to w życiu bywa nie wszystkim się to podobało. W carskiej świcie był stary ochmistrz, który bardzo chłopca nie lubił i chciał się go pozbyć z dworu. Ciągle rozmyślał na czym tu chłopca przyłapać i obserwował go bacznie.

Zauważył on, że młody koniuszy nigdy koników nie myje, ani nie czesze, a one są lśniące i piękne. Owsa w żłobach mają zawsze pełno, a w poidłach czyściutką wodę.

Ochmistrz, który był wcześniej naczelnym zarządcą stajen, postanowił odkryć tajemnice Iwana.

Pewnej nocy zaszył się w sianie i przez szparkę obserwował, co chłopak zrobi.
Po północy Wania wszedł do stajni, drzwi na zasuwę zamknął, czapkę zdjął i ze szmatki piórko złote odwinął.
W jednej chwili zrobiło się w stajni jasno jak w dzień.

Żłoby napełniły się owsem, a koniki w mgnieniu oka miały zaplecione grzywy i wyczyszczone grzbiety.
"Tak to" - pomyślał ochmistrz - "to Iwan piórko jakieś zaczarowane ma i carowi nic nie powiedział. Już ja go urządzę! Wszystko carowi opowiem i władca jak nic utnie mu głowę."
I nic nie mówiąc, czekał w sianie do świtu.

Kiedy Wania zasnął, stary ochmistrz zabrał czarodziejskie piórko żar-ptaka i zaniósł je carowi, opowiadając mu przymilnie, że podobno Wania może na dwór żar-ptaka dostarczyć. Car zdenerwował się nie na żarty.
Kazał wezwać Iwana i nakrzyczał na niego groźnie. Nic nie pomogły tłumaczenia i przeprosiny. Car był wściekły.
- Żeby mnie przebłagać, musisz mi zgodnie ze swoimi przechwałkami przynieść na dwór żar-ptaka.
- O, ja nieszczęśliwy - płakał Wania. - A przestrzegał mnie Garbusek, żebym nie zabierał tego piórka.

Usłyszał te narzekania konik Garbusek i powiada:
- Nic się nie martw Iwanie, znajdziemy na to sposób. Powiedz tylko carowi, żeby dał ci dwa koryta najlepszego zboża i kilka butelek wina.
Wania poszedł do cara i prośbę tę przedstawił.
Car bez namysłu polecił spełnić prośbę chłopca. Zaopatrzeni w jadło, napitek, proso i wino, konik Garbusek i Wania wyruszyli na poszukiwanie żar-ptaka.

67

Jechali, jechali, aż w ciemnym lesie zobaczyli polanę, a na tej polanie srebrną górę, której czubek tonął w chmurach.

- Oj, trudna będzie przeprawa - powiedział Iwan. - Kto na taką górę wejdzie?

- Nic się nie martw - odparł wesoło konik Garbusek - siadaj na mój grzbiet i ruszamy.

Konik zręcznie wspinał się po występach srebrzystych skał, aż wreszcie się zatrzymał.
- Teraz - powiedział do Wani - nasyp w jeden żłób, który masz przy sobie prosa, a sam się schowaj w drugim. Jak przylecą żar-
-ptaki i zaczną jeść nasze proso, złap jednego za ogon i trzymaj mocno. Gdy tylko zacznie się wyrywać, zawołaj mnie, a ja przy-
biegnę ci na pomoc.

I tak też się stało. Wania ukrył się w drewnianym żłobie i obserwował przylot cudnych, lśniących żar-ptaków. Wyszedł cichutko ze swej kryjówki, żar-ptaka za ogon chwycił, i pomocy zawołał. Zaraz też przybiegł konik Garbusek i pomógł chłopcu schować do worka zaczarowanego ptaszka.

Gdy wrócili na carski dwór, władca ucieszył się niezmiernie i uczynił Iwana swoim doradcą. Ale ochmistrz, który wypadł z carskich łask, cały czas myślał jak tu się Wani pozbyć.

Pewnego razu usłyszał jak w dworskiej kuchni opowiadali, że za siedmioma górami i za siedmioma morzami żyje przepiękna Cud-Dziewczyna. Że jej matką jest Słońce, bratem Księżyc, a ona sama pływa po oceanie w pięknej łodzi i gra na skrzypkach tak cudnie i tak żałośnie, że aż serce ściska.

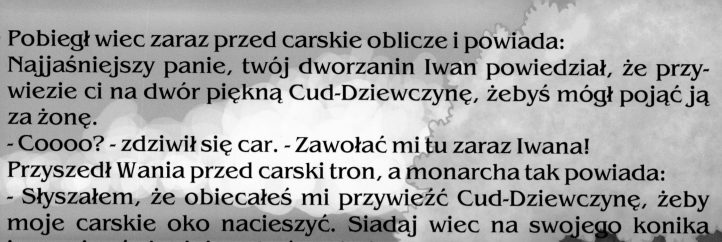

Pobiegł więc zaraz przed carskie oblicze i powiada:
Najjaśniejszy panie, twój dworzanin Iwan powiedział, że przy-wiezie ci na dwór piękną Cud-Dziewczynę, żebyś mógł pojąć ją za żonę.
- Coooo? - zdziwił się car. - Zawołać mi tu zaraz Iwana!
Przyszedł Wania przed carski tron, a monarcha tak powiada:
- Słyszałem, że obiecałeś mi przywieźć Cud-Dziewczynę, żeby moje carskie oko nacieszyć. Siadaj więc na swojego konika i ruszaj w świat jej szukać! Jeżeli przez trzy niedziele mi jej nie przywieziesz, każę ci uciąć głowę!

Zmartwił się Wania, zapłakał i znowu poprosił swojego konika Garbuska o pomoc. Konik się do chłopca przytulił i coś mu na ucho powiedział. Iwan poweselał i poszedł do cara.

- Daj mi najjaśniejszy panie - powiada - dwa białe obrusy, namiot złotą nitką wyszywany i rożnego rodzaju bakalie, cukierki i czekoladki. O nic nie pytaj! Albo chcesz mieć Cud--Dziewczynę, albo nie!

Dostał od cara wszystko, o co prosił, na konika wsiadł i na poszukiwania ruszył.

Jechali, jechali osiem dni, na dziewiąty dzień zatrzymali się na złocistej plaży nad błękitnym morzem.

Konik polecił Iwanowi obrusy na piasku rozłożyć, łakocie na tym porozkładać, namiot rozbić i za namiotem się ukryć.

Po chwili usłyszeli przecudną melodię. To Cud-Dziewczyna w swojej łodzi do brzegu płynęła. Wania tak się zasłuchał w te dźwięki, że leżąc za namiotem, usnął.

Obudził go konik Garbusek i powiedział:

- Och Wania, nie możesz usypiać, bo car głowę ci utnie, kiedy dziewczyny nie przywieziesz. Jutro nad ranem nie śpij, tylko czuwaj. Czekaj na Cud-Dziewczynę, aż zejdzie. Będziesz mógł ją zobaczyć i pochwycić.

Jak Garbusek poradził, tak chłopiec zrobił. Dziewczyna na brzeg wyszła, łakocie zobaczyła, do namiotu weszła i zaczęła zajadać. W tym to czasie Iwan z ukrycia wyskoczył, pannę porwał, na konika posądził i cwałem do stolicy ruszyli.

Kiedy car dojrzał Cud-Dziewczynę od razu się w niej zakochał. Prosił ją i błagał, żeby jego żoną zostać zechciała i koronę carowej jej obiecywał, ale ona nawet słyszeć o tym nie chciała.

Nadąsana i nachmurzona odpowiedziała carowi, że może owszem jego żoną zostać, jeżeli da jej przecudny, zaczarowany pierścień, który leży na dnie oceanu.

Car znowu Wanię zawołał i po pierścień ruszać mu każe.
- Jedź na dwór Księżyca i Słońca, pięknie się pokłoń
i o pierścionek poproś. Oni już będą wiedzieć, gdzie on
leży.

Cóż miał biedny Wania powiedzieć? Czapkę w rękach ścisnął, pokłonił się carowi i nad ocean ruszył, by w miejscu, gdzie się niebo styka z ziemią dwór Słońca i Księżyca zobaczyć.
Znowu na konika Garbuska usiadł i pojechali.
Gdy przybyli nad ocean, zobaczyli Dziw-Wieloryba, na którego grzbiecie leżała wielka wieś, rozciągały się pola i lasy oraz łąki. Wieloryb płakał wielorybimi łzami, gdyż przez to cierpiał okrutnie.

Kiedy powiedzieli mu dokąd zdążają, poprosił ich, by się wstawili za nim u Słońca i Księżyca. Wania obiecał, że prośbę tę spełni i pojechali dalej. Konik Garbusek mknął nad wodami oceanu, ślizgał się po grzbietach fal, aż wreszcie stanęli przed złocistym pałacem, gdzie ściany wysadzane były brylantami, kolumny perłami, a podłoga była z kryształu.

Chłopiec zsiadł z konika i do komnat ruszył. Idzie, idzie, patrzy, a tu tron złocisty, na którym Słońce-Matka siedzi, a obok na srebrzystym Księżyc w pełnej krasie.

Iwan ukłonił się i opowiedział całą historię, jak car kazał mu Cud-Dziewczynę porwać, jak on Wania na dwór ją zawiózł i jak car pannę pokochał.

Matka-Słońce waz z Bratem-Księżycem ucieszyli się bardzo. Ukłony córce zawieźć polecili i obiecali, że odwdzięczą się młodzieńcowi za dobre wieści.

Przy okazji zapytali o Dziw-Wieloryba.

- Moi drodzy - powiedział Księżyc. - Pewnej nocy wieloryb ów z wód się wynurzył niespodziewanie i zjadł trzydzieści dworskich okrętów wraz z załogą. Kiedy wypuści okręty i moich dzielnych marynarzy, przestanie cierpieć męki.

Konik wraz z Wanią pospieszyli nad ocean i przekazali te słowa olbrzymiemu zwierzęciu. Wieloryb ucieszył się bardzo.

- Proście o co chcecie! - zawołał.- Jestem królem oceanu i spełnię każdą waszą prośbę.

- Bardzo cię proszę o złoty pierścień, który kazała carowi znaleźć Cud-Dziewczyna, a on polecił to mi wykonać.
Wtedy wieloryb wezwał na pomoc wszystkie ryby pływające w oceanie i nakazał im szukanie pierścienia. Po długich i żmudnych poszukiwaniach odnalazł go jeden delfin, który miał doskonały wzrok i potrafił znaleźć w wodzie nawet igłę.

Wieloryb oddał pierścionek Wani, który czekał na niego już dziesięć godzin, poczym popędzili co koń wyskoczy do carskiej stolicy, gdzie monarcha niecierpliwie czekał na Iwana i zaczarowany pierścień.

Car uradowany oświadczył się niezwłocznie Cud-Dziewczynie, ale ona nawet słyszeć nie chciała o ślubie.

- Jesteś za stary - mówiła. - Nie mogę zostać twoją żoną.

- To co mam zrobić? - zmartwił się car. Cud-Dziewczyna zapewniła starego władcę, że jest na to sposób.

Poradziła mu żeby następnego dnia ustawił na dziedzińcu trzy kotły. Jeden z mlekiem, drugi z wrzątkiem, a trzeci z zimną wodą. Kazała carowi wykąpać się we wszystkich trzech garach.

- Wtedy - powiedziała - na pewno
staniesz się młody.
Car przeraził się nie na żarty
i znowu zawołał Wanię,
każąc jemu to pierwszemu
się wykąpać we wszystkich
kotłach.

Chłopak zapłakał rzewnie. Usłyszał to Garbusek i powiedział:

- Nic się nie martw, poproś cara, żeby mnie rano na dziedziniec wezwał. Jak będziesz skakał do pierwszego kotła, ja na ciebie mlekiem prysnę, jak do drugiego, prysnę wrzątkiem i na końcu zimną wodą. Potem wykapiesz się we wszystkich trzech kotłach i nic ci się nie stanie.

Wania, który bardzo ufał Garbuskowi, zrobił tak, jak mu konik polecił i gdy wyszedł z kąpieli we wszystkich kotłach, stał się tak piękny, że zebranym dech zaparło.

Wszyscy zgromadzeni na dziedzińcu dworzanie i poddani bardzo się zdziwili, gdy zobaczyli tę przemianę. Twarz mu się zrobiła jasna, śmiała, oczy zabłysły pięknym blaskiem, a i strój na nim się zmienił nie do poznania.

Gdy to zobaczył car, tak się przeląkł, że zaczął uciekać, potknął się, wpadł do kotła z wrzątkiem i się utopił.

- Zacni obywatele - powiedziała Cud-Dziewczyna - oto teraz oddam swoją rękę Iwanowi i on będzie waszym carem.

- Hurra!!!!! - wrzasnęli dworzanie i inni poddani zebrani przed pałacem. - Niech żyje car Iwan i Cud-Carowa!

I tak to biedny Wania został carem. Był on władcą sprawiedliwym, rządził długo i szczęśliwie, a konikowi Garbuskowi kazał zbudować najpiękniejszą stajnię na świecie, do której często zaglądał, żeby się go w różnych państwowych sprawach poradzić.

Książę i żebrak

W dalekim, bardzo pięknym kraju, gdzie na szczytach gór srebrzy się śnieg, a księżyc nocą wygląda jak zaczarowana broszka, znajdowało się wielkie miasto. W samym jego środku stał ogromny pałac. Ściany tej budowli wysadzane były złotymi kamieniami. A dach pokrywały dachówki ze szczerego złota. Okiennice tworzyły przepiękną mozaikę, a schody wykonane były z najprzedniejszego marmuru.

Każdy przechodzień zatrzymywał się przed tym pałacem i sycił wzrok jego widokiem. Rzadko kto jednak dostrzegał, że na marmurowych schodach tej pięknej budowli każdego ranka siadywał ubogi, ubrany w łachmany żebrak.

Ludzie zatrzymywali się przed budynkiem, kręcili głowami z zachwytu i zastanawiali się kim może być właściciel tego pałacu.

- Może tu mieszka jakiś bogaty książę? - mówili jedni - a może jest to własność jakiegoś bardzo zamożnego kupca - zastanawiali się drudzy. Z pewnością taki pałac mógł wznieść ktoś bardzo wyjątkowy przyznawali wszyscy i rozchodzili się po świecie, by opowiadać w różnych jego stronach o wspaniałej budowli.

Pewnego dnia obok tego okazałego budynku przejeżdżał wraz ze swoim orszakiem pewien zamorski książę. On również patrzył na pałac z zachwytem. Obejrzał go bardzo dokładnie i już miał odjeżdżać, gdy ujrzał siedzącego na schodkach żebraka.

- Co tu robisz? - Zapytał go ze zdziwieniem.
- Ach panie - odrzekł żebrak - to długa i smutna historia.
- Bardzo jestem jej ciekaw - powiedział książę. - Opowiedz mi ją.

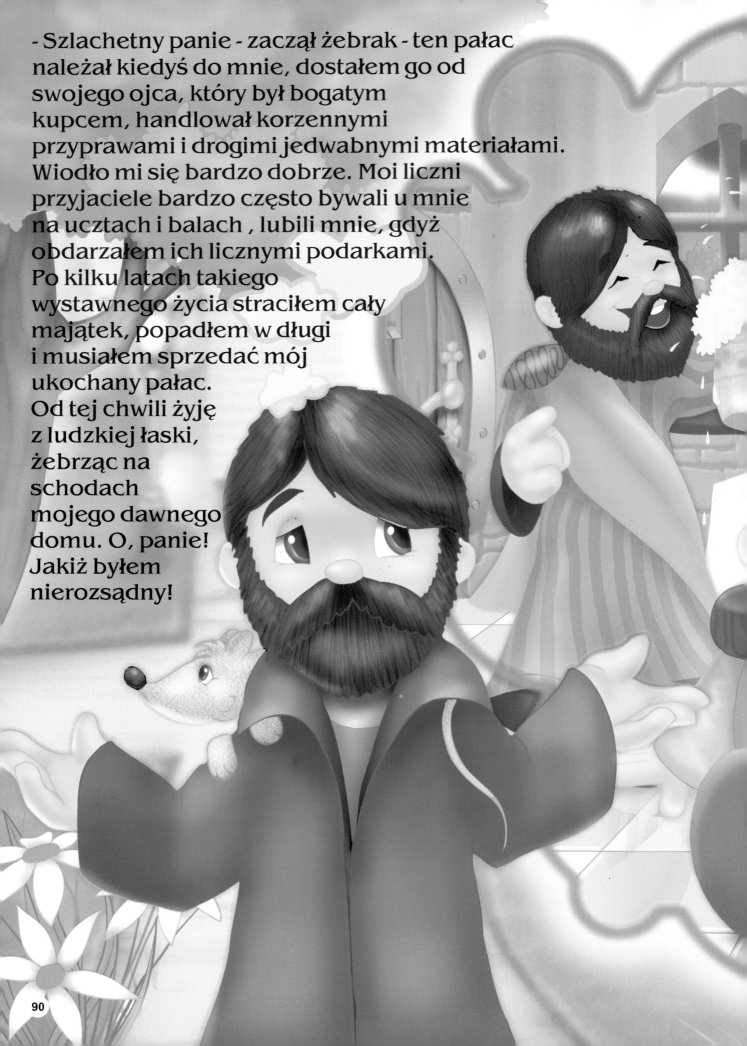

- Szlachetny panie - zaczął żebrak - ten pałac należał kiedyś do mnie, dostałem go od swojego ojca, który był bogatym kupcem, handlował korzennymi przyprawami i drogimi jedwabnymi materiałami. Wiodło mi się bardzo dobrze. Moi liczni przyjaciele bardzo często bywali u mnie na ucztach i balach , lubili mnie, gdyż obdarzałem ich licznymi podarkami. Po kilku latach takiego wystawnego życia straciłem cały majątek, popadłem w długi i musiałem sprzedać mój ukochany pałac. Od tej chwili żyję z ludzkiej łaski, żebrząc na schodach mojego dawnego domu. O, panie! Jakiż byłem nierozsądny!

Mogłem przecież zaoszczędzić sobie jakąś niewielką sumkę i teraz nie cierpiałbym głodu.
- Masz rację dobry człowieku - powiedział książę. - Wydaje mi się, że dostałeś nauczkę od losu, więc pragnę ci pomóc.

I książę dał żebrakowi kilka złotych monet.
- O, panie, jakiż jesteś hojny! - zawołał żebrak - ale proszę cię dołóż jeszcze ze dwie monety!
- Masz starą, zniszczoną, płócienną sakiewkę, nie wytrzyma ona ciężaru złota. Przyjmij to, co dostałeś i mądrze tym gospodaruj odpowiedział książę.

- Panie daj mi więcej złotych monet - prosił żebrak.
Książę dorzucił mu trzy złote pieniążki.
- A czy nie możesz mi dać jeszcze trzech? - zawołał
biedak z błyskiem chciwości w oczach.

Książę dorzucił mu żądane trzy złote monety i właśnie wtedy.... trrrach! sakiewka podarła się , a wszystkie pieniądze wysypały się na ulicę. Ludzie, którzy przyglądali się dotychczas rozmowie księcia z żebrakiem rzucili się na złote monety i w mgnieniu oka je wyzbierali.

- O szlachetny książę - wybuchł płaczem żebrak - miałeś rację. Byłem zbyt chciwy i nie wykorzystałem okazji, jaką mi podsunąłeś. Znowu niczego nie posiadam i muszę żebrać na swoje utrzymanie!

Książę popatrzył na niego ze smutkiem i powiedział do swojego dworzanina:

- Popatrz oto człowiek, którego życie nie nauczyło niczego. Zaprzepaścił swoje życiowe szanse. Nikt mu nie może już pomóc.

I chociaż żebrak wyciągał ręce i prosił o litość, mądry i sprawiedliwy książę odjechał, on zaś strawił resztę życia żebrząc przed bogatym pałacem, który kiedyś był jego własnością...

Kniaź Iwan

W bardzo dalekiej krainie żył młody i piękny kniaź o imieniu Iwan. Jego ojciec car kochał go bardzo i przeznaczył na następcę tronu.

Pewnego dnia, kiedy kniaź przechadzał się po pałacowym ogrodzie, ojciec wezwał go do siebie.

- Kochany synu - powiedział na wstępie - bardzo się o ciebie martwię.

- Dlaczego ojcze - zapytał Iwan - przecież jestem bardzo szczęśliwy.
- Mam złe wiadomości. Okazuje się, że twoja siostra Tamara jest potężną czarownicą. Podobno czyha na twoje życie. Proszę cię synu, jak najszybciej uchodź z kraju!
- Ależ ojcze, to nonsens, nie chcę uciekać z ojczyzny! Jest mi tu dobrze!
- Proszę cię synu, zrób to, nie przeżyłbym, gdyby coś ci się stało. Jej wypędzić nie mogę, bo użyje swoich złych czarów przeciwko mnie i mojemu carstwu.
- Jeżeli nie ma innej rady, posłucham cię ojcze - rzekł kniaź ze smutkiem i poszedł do swojej komnaty, żeby się przygotować do drogi.

Następnego dnia pożegnał starego ojca, wszystkich swoich przyjaciół i udał się w daleką podróż.
Był zupełnie sam. Miał jedynie konia, który teraz był jego przyjacielem. Wędrował wiele dni i nocy, aż dotarł do wysokich gór.

U ich podnóża rósł gęsty, świerkowy las. W tym to lesie zbudował sobie drewnianą chatkę i zamieszkał. Zaprzyjaźnił się z góralami, którzy utrzymywali się z rybołówstwa i myślistwa i sam także zaczął się tym zajmować.
Żył jak prosty człowiek, cieszył się swobodą i górskimi widokami. Chciał zapomnieć o złej, strasznej prawdzie, którą wyjawił mu ojciec.
Pewnej letniej nocy długo nie mógł zasnąć. Przewracał się z boku na bok, aż wreszcie wstał i poszedł na spacer wzdłuż strumienia.

Księżyc oświetlał drogę, a jego światło skrzyło się w bystrej wodzie górskiego strumyka. Nagle ujrzał w niej piękną twarz swojej siostry Tamary, która uśmiechała się do niego i mówiła:
- Braciszku, wszyscy tęsknimy za tobą i bardzo nam ciebie brak. Stary ojciec choruje z tęsknoty - i... zjawisko znikło.

Iwan przeląkł się nie na żarty. Wrócił do chatki i zaczął się pakować. Był innym człowiekiem. Działał w nim jakiś czar. Bardzo zły czar. Carewicz załadowawszy na swojego kochanego konia cały swój dobytek, wybrał się w drogę do domu. Po drodze spotykały go dziwne wydarzenia.

A to ni stąd ni zowąd na wielkim dębie złamała się ogromna, ciężka gałąź i spadła tuż obok głowy Iwana, a to nie mógł rozpalić wieczorem ogniska, bo zgubił krzemienie do rozniecania ognia. Na końcu wreszcie zdechł jego ulubiony koń i dalej kniaź poszedł już piechotą.

Było mu ciężko. Musiał nieść wielkie torby ze swoimi rzeczami i uprząż konia.

Wreszcie wszedł do małej wioski, w której głośno biły dzwony, a ludzie gromadzili się w cerkwi.

- Czy coś się stało? - zapytał Iwan.

- Tak - odpowiedział mu pewien staruszek - umarł car.

Kniaź Iwan szybko kupił śmigłego konia i pognał do stolicy.

Gdy wjechał do miasta zobaczył tłumy ludzi. Ulicą szedł dziwny orszak. Na czele szła dobrze zaokrąglona Tamara niosąc zwinięty papier, za nią służący, którzy dźwigali wielką, mosiężną wagę, a za nimi podążał kat w czerwonej opończy.

- O, Iwan - rzekła Tamara. - Właśnie na ciebie czekałam. Mam smutne wieści. Wczoraj umarł nasz ojciec. Mam tu spisaną jego ostatnią wolę. Musimy stanąć na szalach tej wagi. Kto będzie cięższy, pójdzie pod topór kata, a kto będzie lżejszy, będzie rządził krajem. Iwan nie wierzył w prawdziwość tego testamentu,

ale wiedział, że nie może zadzierać z siostrą, gdyż ona jest okrutną czarownicą, martwił się więc, bo był dużo cięższy od siostry, która dla zmylenia wszystkich wepchnęła pod suknie wiele poduszek, żeby podstępnie namówić go do wejścia na wagę.

Westchnął tylko i wszedł na szalę. To samo zrobiła jego siostra. I wtedy stało się coś niespodziewanego. Ramię szali na której stanęła Tamara z niewiadomych przyczyn urwało się i zanim dziewczyna zdążyła się podnieść, kat uciął jej głowę.

Kniaź Iwan długo pamiętał to przeżycie. Gdy został carem, władał sprawiedliwie i mądrze. Kierował się zawsze miłością do swoich poddanych, a oni kochali go za to.

105

Dom z zielonym dachem

Za górami, za lasami, za wielkimi rzekami w ogromnym, pięknym kraju żył waleczny rycerz o imieniu Igor.

Brał on udział w wielu ważnych bitwach, gdzie odznaczył się męstwem i wielu ludzi o nim słyszało. Gdziekolwiek się pojawił, był serdecznie witany i pozdrawiany. Nawet sam car zapraszał go na swój dwór.

Igor cieszył się z sympatii i szacunku jaki mu ludzie okazywali, ale miał już dosyć bitew i wojen. Pragnął założyć rodzinę, mieć prawdziwy dom i miłą, kochającą żonę, ale nie wiedział jak to zdobyć.

Poszedł więc do starego mędrca, który mieszkał w pieczarze na szczycie wielkiej góry i opowiedział mu swoje marzenie.

- Jesteś bardzo dzielnym i miłym człowiekiem - powiedział do Igora mędrzec - należy ci się bezpieczny dom i dobra żona.

- Ale jak mam to osiągnąć? - zapytał bezradnie Igor.

- Czy jesteś gotów ponieść trud i poświęcić się, aby zrealizować swoje marzenie? - odezwał się mędrzec.

- Oczywiście, jestem gotów ponieść wiele trudów, aby mieć spokojny dom i dobrą żonę.

- W takim razie - mówił starzec - musisz przejść góry, w których się teraz znajdujesz i pójść do Doliny Błękitnych Kwiatów. Tam znajdziesz mały, drewniany domek z zielonym dachem. To w nim napotkasz swoją przyszłą żonę. Pamiętaj jednak, że musisz się kierować dobrocią i szlachetnością.

Igor wysłuchał staruszka i udał się w drogę przez góry. Jechał długo na swoim bułanym koniku, aż wreszcie stanął przed małym drewnianym domkiem, który miał zielony dach. Serce zabiło mu radośnie. To tu, już za chwilę spotka kobietę, z którą spędzi resztę życia.

Otworzył delikatnie drzwi i wszedł do małego pokoju. Serce zamarło mu z przerażenia. Przy dużym, dębowym stole siedział okropnie brzydki potwór, z pyskiem krokodyla i pazurami tygrysa. Igor odruchowo chwycił za miecz. Poczwara spojrzała na niego przenikliwie tak bardzo smutnym wzrokiem, że dzielny rycerz zaniechał wyciągania broni.

"Niech sobie żyje" - pomyślał o potworze - "jest odrażający, ale przecież to nie jest jego wina. Skinął głową i wyszedł."
Wracał smutny. Przepowiednia starego mędrca nie spełniła się. Gdzie miał teraz szukać żony? Nie wiedział.

Postanowił poszukać jej sam. Jeździł po całym kraju, bywał na wielu dworach i w wielu pałacach. Poznał mnóstwo młodych i ładnych kobiet gotowych na zamążpójście. Do żadnej nie żywił jednak uczucia i serce nie biło mu tak mocno, jak w chwili, kiedy stanął przed domkiem z zielonym dachem.

"Ach" - myślał sobie - "jak by to było pięknie, gdybym znowu poczuł taki radosny łomot serca na widok jakiejś panny."

Szukał i szukał, tańczył z wieloma pannami, prowadził długie rozmowy, ale żadna nie przypadła mu do gustu.

Pewnego razu wpadł na pomysł, żeby jeszcze raz pojechać do Doliny Błękitnych Kwiatów i zobaczyć co dzieje się z poczwarą mieszkającą w domku z zielonym dachem.

Wybrał się więc w drogę przez wielkie góry i po kilku dniach stanął przed małym, drewnianym domkiem. Serce biło mu mocno, tak, jak poprzednim razem.

Jakież było jego zdumienie, gdy przez otwarte okno usłyszał piękny, dziewczęcy śpiew. Wszedł do domku i za stołem, zamiast strasznego potwora zobaczył młodą, śliczną dziewczynę z długim warkoczem.

- Kim jesteś o piękna? - zapytał.

- Jestem dziewczyną zaklętą w przebrzydłą poczwarę. Wielu młodych ludzi odwracało ode mnie ze wstrętem wzrok. Ty jeden okazałeś mi współczucie, dlatego odzyskałam ludzką postać. Za ten wielkoduszny gest zawsze będę cię kochała.

- A więc to ty będziesz moją żoną! - zawołał Igor i przycisnął panienkę do serca.

Na wysokiej górze, w wielkiej pieczarze, stary mędrzec uśmiechnął się do siebie. Wiedział, że spełniła się jego przepowiednia.

Córka puszczy

Dawno, dawno temu… żył sobie car, który miał trzech synów. Pewnego dnia uznał, że młodzieńcy dorośli już do ożenku. Wezwał więc ich, by stawili się wszyscy na szczycie jednej z pałacowych wież.

- Chcę, żeby każdy z was wystrzelił z łuku - oznajmił. - Tam, gdzie spadnie strzała, znajdziecie swoje przyszłe żony.

Dziwne wydało się synom to polecenie, lecz - jak zawsze - zrobili, co im kazano. Najstarszy wymierzył starannie i wypuścił strzałę. Spadła do ogrodu pewnego zamożnego kupca, który miał córkę przecudnej urody.

Strzała wystrzelona przez drugiego wylądowała tuż pod oknem pewnej ślicznej dziewczyny, której ojciec był generałem w armii cara.

Najmłodszy syn, Borys, był zawołanym łucznikiem, ale nie mógł się zdecydować, gdzie posłać strzałę. Wreszcie wystrzelił ją tak daleko, że zniknęła wszystkim z oczu.

Gdy wyruszył na poszukiwanie strzały, nie mógł jej nigdzie odnaleźć. Po namyśle doszedł do wniosku, że musiała wylądować gdzieś w głębi puszczy, na samym krańcu królestwa. Niewielu ludzi ośmielało się zapuszczać w głąb kniei, a i Borys nigdy wcześniej w niej nie był. Ojciec oczekiwał jednak, że syn odnajdzie strzałę. W głębi lasu, na środku niedużej polany ujrzał swą strzałę wbitą w ziemię. Obok siedziała piękna dziewica odziana w łachmany.

Carewicz zmieszał się. Zagadnął nieśmiało:
- Jestem Borys, syn cara. A ty kim jesteś?
Dziewica uśmiechnęła się i odpowiedziała coś miękkim głosem, ale tak jakoś dziwnie, że Borys nie zrozumiał ani słowa. Po kilku dalszych próbach dotarło doń, że dziewczyna nie umie mówić, choć wydawało się, że rozumie jego słowa.
A więc to była kobieta, którą miał pojąć za żonę! Ujął dziewczynę delikatnie za rękę i powiedział:
- Widzisz tę strzałę? Wystrzeliłem ją, by tam, gdzie upadnie, znaleźć swą przyszłą żonę. Czy będziesz moją żoną?
Dziewczyna z uśmiechem skinęła głową.

Jeszcze w tym samym tygodniu trzej bracia stanęli na ślubnym kobiercu. Potem każda z młodych par zajęła odrębne skrzydło pałacu. W ciągu kilku następnych miesięcy Borys i jego piękna żona spędzali bardzo niewiele czasu w towarzystwie innych członków dworu. Borys ogromnie kochał żonę. Nie chciał, żeby musiała się wstydzić, że nie umie mówić.

Car zaczął żałować, że przymusił synów do małżeństwa w tak niecodzienny sposób. Prawie nie widywał Borysa, a dziewczyny nie widział od dnia ślubu. Dworzanie śmiali się po cichu z carewicza i jego dziwacznej żony. Niektórzy przebąkiwali nawet, że dziewczyna zostanie wypędzona.

Pewnego dnia car spotkał swoją milczącą synową spacerującą po pałacowych ogrodach. Dziewczyna przyklęknęła w głębokim ukłonie. Car wyciągnął dłoń, aby pomóc jej powstać i wtedy zobaczył, że synowa ma oczy pełne łez.

- Chciałbym, żebyś jutro, w dniu święta plonów, przyszła na wieczorny bal - rzekł łagodnie. - Zatańczymy razem pierwszy taniec.

Następnego wieczoru carewna weszła do sali balowej ubrana w przepyszną szatę ze srebrnego jedwabiu. Jej złociste włosy zdobił diadem wysadzany perłami. Car podał jej dłoń i spytał:
- Czy mogę prosić do tańca?
Ku zdumieniu całego dworu carewna odparła czystym i dźwięcznym głosem:
- Oczywiście, Wasza Wysokość.

Tłum zaczął gorączkowo szeptać, lecz natychmiast ucichł, gdyż złotowłosa mówiła dalej:
- To dla mnie ogromne szczęście - po raz pierwszy jestem na prawdziwym balu, razem z wami wszystkimi.
Teraz dopiero wybuchła prawdziwa radość!
- Carewna umie mówić! Ona mówi! - wołano.
- Czyż to nie cudowna niespodzianka, ojcze? - szepnął Borys. -

Wiele miesięcy ćwiczyliśmy, ale dopiero twoje uprzejme zaproszenie w ogrodzie ośmieliło ją, by zabrała głos publicznie.
- Ale dlaczego wcześniej się nie odzywała? - spytał car.
- To smutna historia - wyjaśnił Borys. - Gdy żona moja była jeszcze dzieckiem, jej ojciec, człek ogromnie majętny, nagle umarł. Na opiekuna dziewczynki wyznaczono stryja. Lecz ten pożądał wyłącznie jej bogactw. Uprowadził ją więc w głąb puszczy i tam zostawił. Co miesiąc stary sługa przynosił jej jedzenie i przypominał, że ocaleje jedynie wówczas, jeżeli pozostanie w swym leśnym ukryciu. Po tylu latach samotności i lęku utraciła mowę.

Car był ogromnie poruszony tą opowieścią i rozmyślał nad nią przez długi czas. W końcu zwołał radę starszych.
Miłość, którą Borys okazał swej żonie, jest dla mnie dowodem jego wielkiej mądrości i cierpliwości rzekł. Car musi miłować swój lud z taką właśnie miłością i cierpliwością. Postanowiłem zatem wyznaczyć Borysa na swego następcę. Będzie najlep-szym przywódcą narodu
I tak też się stało. Po śmierci cara Borys wraz z żoną rządzili królestwem mądrze i sprawiedliwie.